Madame
Poipoi

Monsieur
Henri

Gino
Marto

Rémi
Lepoivre

Adrien
Dubouchon

Mélani
Lano

Tom-Tom et Nana

Tremblez, carcasses !

Scénario : Jacqueline Cohen, Evelyne Reberg
Dessins : Bernadette Després
Couleurs : Catherine Viansson-Ponté

A LA BONNE FOURCHETTE

Marie-Lou Dubouchon

Yvonne Dubouchon

Nana Dubouchon

Tom-Tom Dubouchon

Huitième édition, novembre 2009
© Bayard Éditions, 2000
ISBN : 978-2-7470-1404-5
Dépôt légal : janvier 2004
Droits de reproduction réservés pour tous pays
Toute reproduction, même partielle, interdite
Imprimé en Pologne
Tom-Tom et Nana sont des personnages créés par
J. Cohen, E. Reberg, B. Després et C. Viansson-Ponté

Gare à l'étrangleur !

Gurggl l'Etrangleur va apparaître dans les ténèbres de la caverne aux horreurs!

Génial!

Qui ose l'affronter!

Moi!

Euh, moi!

Toi, pas question! Tu vas tourner de l'œil!

Et toi? Tu te dégonfles?

Faut que je réfléchisse!

Moi, j'attends la prochaine séance!

Allez ! A nous deux Gurgal !

Bon, prends ton sac à vomir...

Arrête ! Je meurs de rire !

Les araignées, c'est du vrai plastique ou du faux ?

Fais pas le malin et assieds-toi !

Cramponne-toi à la chaise, je vais faire le noir !...

En route pour la terreur !

clic !

Qu'est-ce que je dois dire déjà?

Tu as encore oublié ton texte?

Ah oui... Tremblez misérables mortels...

Diling! Diling!

... Gurggl l'Étrangleur rôde...

Diling!

Diling!

Lève pas trop les bras, on voit ta culotte!

Soudain...

Grrr...

La ppp... orte... elle s'est ouverte toute seule!

9

La lettre piégée

Tom-Tom et Nana : Tremblez, carcasses!

Vas-y, lis !

Espèces de... Hi, hi, hi !...

Bande de....

Ho, ho, ho...

... Vieille chouette déplumée... gros pou farci... Tête de... euh...

Ha ! Ha !

Tu ne crois pas qu'il y a trop de gros mots ?

Donne ! Je vais écrire autre chose !

S'ils lisent ça, ils vont nous assassiner !

On a peut-être un peu exagéré !

C'est vrai !

Des fois, ils sont gentils quand même !

Les pauvres !

Tu te rappelles hier ?

Oui... Mamounette, elle nous a raconté des blagues !

On a bien rigolé !

Et papounet, il nous a fait notre purée préférée !

Il faut reprendre cette lettre !!

Impossible !

Je m'en fiche ! Je reste collée ici !!

Tu crois ?

21

Tom-Tom et Nana : Tremblez, carcasses!

23

Opération Saucisse

La fête des mères, c'est à midi pile !

En attendant, il faut le cacher !

Où ça ? Il est si petit...

On risque de le perdre !

Si tu le mettais dans ma bouche !

Essaye... **AAAAAH!**

T'es folle !

Attends...

J'ai l'idée du siècle !

Saucisse sera collée à moi! Personne ne l'approchera à moins d'un kilomètre! Juré...

Graché!... Ptttou!

Parfait...

Nana! Tu viens!

Oh zut, Fatiah! J'avais oublié...

Prends vite Saucisse!

Mais...

Agent Tom-Tom! Je te confie ma mission!

Message transmis! Cinq sur cinq! **STOP!**

CLAC!

28

30

32

La nuit des survivants

Plus tard...

Qu'est-ce qu'on fait maintenant ?

Ben... on survit !

On y arrive drôlement bien...

On est fortiches !

J'ai tout prévu, hein ?!

Ça oui !

Les parents, ils n'en reviendront pas !

Hé les gars ! Si on mangeait ?

Manger ?

La nourriture ! J'ai oublié la nourriture !

Oh ! Noooon !

39

Tom-Tom et Nana : Tremblez, carcasses!

Une heure après...

Tant pis, on y va !

Chut ! Les parents peuvent nous entendre...

Une marmite !! Devant chez nous !

C'est trop beau !...

C'est peut-être un lutin qui l'a fait apparaître ?!

Idiote !

C'est ma lampe de poche qui a su la trouver !

Elle est pleine !!

43

La colo des cucus

Je dormirai pas ! Je ferai des cauchemars horribles !

Attends... J'ai une idée !

On va en racheter un !

Ah ?

J'ai des sous, regarde !

Oooh ! Super !!

CLING ! cling !

Dis... Tu le répètes à personne, hein !?

Quoi ?

Ben... que j'ai besoin de mon Lapinou !

Promis, juré, je suis une tombe à secrets !

47

49

Tous au rayon vidéo ! Y a Mortal Dream et Agony 2.000 !

Prends-le, ton Lapinou !

30F15

PING !

On arrive !

Un peu plus tard...

On a rien pris !

C'est trop cher !

?

CAISSE

Hep, toi ! Le petit tout rouge au long nez !

CA

Qu'est-ce que tu as dans la poche ?

Rien madame !

50

Tom-Tom et Nana : Tremblez, carcasses!

Tom-Tom et Nana : Tremblez, carcasses!

Ça va pour cette fois, mais...

T'es pas un peu toc-toc?!

Piquer un truc aussi nul !!

Mais...

Je ne l'ai pas piqué!

Mon œil !

Il a sauté tout seul dans ta poche?!

Allez, va ! A tout à l'heure !

La supermarcheuse

Tom-Tom et Nana : Tremblez, carcasses !

Tom-Tom et Nana : Tremblez, carcasses!

61

Tom-Tom et Nana : Tremblez, carcasses!

La nuit des nuits

Tom-Tom et Nana : Tremblez, carcasses!

Notre chambre est tellement moche!...

Faut bien qu'on l'arrange!

Si on devait compter sur vous!!!

Chez Sophie, c'est super-beau!

Ah, cette Sophie!

On le saura qu'elle vient dormir ici!

On dirait qu'ils reçoivent la reine d'Angleterre!

Plus tard...

Touche plus à rien!... Elle arrive!!

Tom-Tom et Nana : Tremblez, carcasses !

Dehors !! Ou je vous pulvérise !!

Chez moi, les parents ils sont plus sympas !

CLIC !

Oh, les nôtres !... Je sais pas ce qu'ils ont cette nuit !

Au lever du jour...

Sophie... t'as bien dormi ?

Mais...?!?

Malheur ! Elle est partie !

CLIC !

72

Tom-Tom et Nana : Tremblez, carcasses!

Bon sang ! Où elle a pu aller ?!

Sous cette pluie !!

Faisons le tour du quartier ... vite !!

Sooophie !

Sophiiie !

?!?

Pour une fois qu'elle venait dormir chez nous !

Tom-Tom ! Nana !... Coucou !

Oh ?!

C'est elle !!!

Sophie !! Où tu es ?

Devinez !

Mort aux miettes !

78

Aaaah! Je vais leur tordre le cou! Retenez-moi!!

Adrien...Vite, un sourire!

Tante Roberte vient d'appeler, elle nous apporte le sien!...

Ouh! là-là! Quelle crise!

Il va nous en vouloir pendant 100 ans!

Tout ça pour des miettes!!

Hé!... J'ai une idée!

83

Et ça repart !

Tom-Tom et Nana

T'es zinzin
si t'en rates un !

 ☐ N° 1
 ☐ N° 2
 ☐ N° 3
 ☐ N° 4

 ☐ N° 5
 ☐ N° 6
 ☐ N° 7
 ☐ N° 8
 ☐ N° 9
 ☐ N° 10

 ☐ N° 11
 ☐ N° 12
 ☐ N° 13
 ☐ N° 14
 ☐ N° 15
 ☐ N° 16

 ☐ N° 17
 ☐ N° 18
 ☐ N° 19
 ☐ N° 20
 ☐ N° 21
 ☐ N° 22

 ☐ N° 23
 ☐ N° 24
 ☐ N° 25
 ☐ N° 26
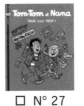 ☐ N° 27
 ☐ N° 28

☐ N° 29
 ☐ N° 30
 ☐ N° 31
 ☐ N° 32
 ☐ N° 33
☐ N° 34